Gallimard Jeunesse / Giboulées sous la direction de Colline Faure-Poirée et Hélène Quinquin.
© Éditions Gallimard Jeunesse 2013 - ISBN : 978-2-07-065802-2 - Numéro d'édition : 370076
Premier dépôt légal : octobre 2013 - Dépôt légal : mai 2020
Loi n° 49956 du 16 juillet 1949 sur les publications destinées à la jeunesse - Imprimé en France par Pollina - 93616G

Bénédicte Guettier

L'ÂNE TROTRO

SE DÉGUISE

GALLIMARD jeunesse GIBOULÉES

AUJOURD'HUI, TROTRO
A DÉCIDÉ DE SE
DÉGUISER EN TIGRE.

POUR COMMENCER, IL SE DÉSHABILLE.

ENSUITE, IL SE PEINT DES RAYURES DE TIGRE SUR LE CORPS.

MAIS TU E
GRRRRRR!
NORMAL!
DIT TROTRO
LES TIGRES
NE PORTENT
PAS DE VÊTEMENTS.

TOUT NU ! DIT SA MAMAN.

GRRR ! DIT TROTRO
SAUVE-TOI
JE VAIS TE
MANGER

AU SECOURS !
CRIE MAMAN.

OH ! LES BELLES
CRÊPES ! DIT TROTRO.
MIAM ! MIAM ! MIAM !

MAIS QUI A MANGÉ MES CRÊPES ? DEMANDE MAMAN.

PAS MOI ! RÉPOND TROTRO.
LES TIGRES NE
MANGENT QUE DE LA
VIANDE !